Biblioteca Era

Carlos Fuentes

Los días enmascarados

Carlos Fuentes

Los días enmascarados

Ediciones Era

Edición original: Los Presentes, 1954

Primera edición en Biblioteca Era: 1982
Vigésima reimpresión: 2014
ISBN: 978.968.411.083.0

Calle del Trabajo 31, 14269 México, D. F.
Impreso y hecho en México
Printed and made in Mexico

www.edicionesera.com.mx

Índice

A mis padres,
este libro escrito
con ellos.

CHAC MOOL

*

Hace poco tiempo, Filiberto murió ahogado en Acapulco. Sucedió en Semana Santa. Aunque despedido de su empleo en la Secretaría, Filiberto no pudo resistir la tentación burocrática de ir, como todos los años, a la pensión alemana, comer el choucrout endulzado por el sudor de la cocina tropical, bailar el sábado de gloria en La Quebrada, y sentirse "gente conocida" en el oscuro anonimato vespertino de la Playa de Hornos. Claro, sabíamos que en su juventud había nadado bien, pero ahora, a los cuarenta, y tan desmejorado como se le veía, ¡intentar salvar, y a medianoche, un trecho tan largo! Frau Müller no permitió que se velara —cliente tan antiguo— en la pensión; por el contrario, esa noche organizó un baile en la terracita sofocada, mientras Filiberto esperaba, muy pálido en su caja, a que saliera el camión matutino de la terminal, y pasó acompañado de huacales y fardos la primera noche de su nueva vida. Cuando llegué, temprano, a vigilar el embarque del féretro, Filiberto estaba bajo un túmulo de cocos; el chofer dijo que lo acomodáramos rápidamente en el toldo y lo cubriéramos de lonas, para que no se espantaran los pasajeros, y a ver si no le habíamos echado la sal al viaje.

Salimos de Acapulco, todavía en la brisa. Hasta Tierra Colorada nacieron el calor y la luz. Con el desayuno de huevos y chorizo, abrí el cartapacio de Filiberto, recogido el día anterior, junto con sus otras pertenencias, en la pensión de los Müller. Doscientos pesos. Un periódico viejo; cachos de la lotería; el pasaje de ida —¿sólo de ida?—, y el cuaderno barato, de hojas cuadriculadas y tapas de papel mármol.

Me aventuré a leerlo, a pesar de las curvas, el hedor a vómito, y cierto sentimiento natural de respeto a la vida privada de mi difunto amigo. Recordaría —sí, empezaba con eso— nuestra cotidiana labor en la oficina; quizá, sabría por qué fue declinando, olvidando sus deberes, por qué dictaba oficios sin sentido, ni número, ni "Sufragio Efectivo". Por qué, en fin, fue corrido, olvidada la pensión, sin respetar los escalafones.

"Hoy fui a arreglar lo de mi pensión. El licenciado, amabilísimo. Salí tan contento que decidí gastar cinco pesos en un café. Es el mismo al que íbamos de jóvenes y al que ahora nunca concurro, porque me recuerda que a los veinte años podía darme más lujos que a los cuarenta. Entonces todos estábamos en un mismo plano, hubiéramos rechazado con energía cualquier opinión peyorativa hacia los compañeros —de hecho librábamos la batalla por aquellos a quienes en la casa discutían la baja extracción o falta de elegancia. Yo sabía que muchos (quizá los más humildes) llegarían muy alto, y aquí, en la escuela, se iban a forjar las amistades duraderas en cuya compañía cursaríamos el mar bravío. No, no fue así. No hubo reglas. Muchos de los humildes quedaron allí, muchos llegaron más arriba de lo que pudimos pronosticar en aquellas fogosas, amables tertulias. Otros, que parecíamos prometerlo todo, quedamos a la mitad del camino, destripados en un examen extracurricular, aislados por una zanja invisible de los que triunfaron y de los que nada alcanzaron. En fin, hoy volví a sentarme en las sillas, modernizadas —también, como barricada de una invasión, la fuente de sodas— y pretendí leer expedientes. Vi a muchos, cambiados, amnésicos, retocados de luz neón, prósperos. Con el café que casi no reconocía, con la ciudad misma, habían ido cincelándose a ritmo distinto del mío. No, ya no me reconocían, o no me querían reconocer. A lo sumo —uno o dos— una mano gorda y rápida en el hombro. Adiós viejo, qué tal. Entre ellos y yo, mediaban los dieciocho agujeros del Country Club. Me disfracé en los expedientes. Desfilaron los años de las grandes ilusiones, de los pronósticos felices y también todas las omisiones que impidieron su realización. Sentí la angustia de no poder meter los dedos en el pasado y pegar los trozos de algún rompecabezas abandonado; pero el arcón de los juguetes se va olvidando, y al cabo, quién sabrá a dónde fueron a dar los soldados de plomo, los cascos, las espadas de madera. Los disfraces tan queridos, no fueron más que eso. Y sin embargo había habido constancia, disciplina, apego al deber. ¿No era suficiente, o sobraba? No dejaba, en ocasiones, de asaltarme el recuerdo de Rilke. La gran recompensa de la aventura de juventud debe ser la muerte; jóvenes, debemos partir con todos nuestros secretos. Hoy, no tendría que volver la vista a las ciudades de sal. ¿Cinco pesos? Dos de propina."

"Pepe, aparte de su pasión por el derecho mercantil, gusta de teorizar. Me vio salir de Catedral, y juntos nos encaminamos a Palacio. Él es descreído, pero no le basta: en media cuadra tuvo que fabricar una teoría. Que si no fuera mexicano, no adoraría a Cristo, y —No, mira, parece evidente. Llegan los españoles y te proponen adores a un Dios, muerto hecho un coágulo, con el costado herido, clavado en una cruz. Sacrificado. Ofrendado. ¿Qué cosa más natural que aceptar un sentimiento tan cercano a todo tu ceremonial, a toda tu vida?... Figúrate, en cambio, que México hubiera sido conquistado por budistas o mahometanos. No es concebible que nuestros indios veneraran a un individuo que murió de indigestión. Pero un Dios al que no le basta que se sacrifiquen por él, sino que incluso va a que le arranquen el corazón, ¡caramba, jaque mate a Huitzilopochtli! El cristianismo, en su sentido cálido, sangriento, de sacrificio y liturgia, se vuelve una prolongación natural y novedosa de la religión indígena. Los aspectos de caridad, amor y la otra mejilla, en cambio, son rechazados. Y todo en México es eso: hay que ma-

tar a los hombres para poder creer en ellos.
"Pepe conocía mi afición, desde joven, por ciertas formas del arte indígena mexicano. Yo colecciono estatuillas, ídolos, cacharros. Mis fines de semana los paso en Tlaxcala, o en Teotihuacán. Acaso por esto le guste relacionar todas las teorías que elabora para mi consumo con estos temas. Por cierto que busco una réplica razonable del Chac Mool desde hace tiempo, y hoy Pepe me informa de un lugar en la Lagunilla donde venden uno de piedra y parece que barato. Voy a ir el domingo.

"Un guasón pintó de rojo el agua del garrafón en la oficina, con la consiguiente perturbación de las labores. He debido consignarlo al director, a quien sólo le dio mucha risa. El culpable se ha valido de esta circunstancia para hacer sarcasmos a mis costillas el día entero, todos en torno al agua. Ch. . . !"

"Hoy, domingo, aproveché para ir a la Lagunilla. Encontré el Chac Mool en la tienducha que me señaló Pepe. Es una pieza preciosa, de tamaño natural, y aunque el marchante asegura su originalidad, lo dudo. La piedra es corriente, pero ello no aminora la elegancia de la postura o lo macizo del bloque. El desleal vendedor le ha embarrado salsa de tomate en la barriga para convencer a los turistas de la autenticidad sangrienta de la escultura.

"El traslado a la casa me costó más que la adquisición. Pero ya está aquí, por el momento en el sótano mientras reorganizo mi cuarto de trofeos a fin de darle cabida. Estas figuras necesitan sol, vertical y fogoso; ese fue su elemento y condición. Pierde mucho en la oscuridad del sótano, como simple bulto agónico, y su mueca parece reprocharme que le niegue la luz. El comerciante tenía un foco exactamente vertical a la escultura, que recortaba todas las aristas, y le daba una expresión más amable a mi Chac Mool. Habrá que seguir su ejemplo."

"Amanecí con la tubería descompuesta. Incauto, dejé correr el agua de la cocina, y se desbordó, corrió por el suelo y llegó hasta el sótano, sin que me percatara. El Chac Mool resiste la humedad, pero mis maletas sufrieron; y todo esto en día de labores, me ha obligado a llegar tarde a la oficina."

“Vinieron, por fin, a arreglar la tubería. Las maletas, torcidas. Y el Chac Mool, con lama en la base.”

“Desperté a la una: había escuchado un quejido terrible. Pensé en ladrones. Pura imaginación.”

“Los lamentos nocturnos han seguido. No sé a qué atribuirlos, pero estoy nervioso. Para colmo de males, la tubería volvió a descomponerse, y las lluvias se han colado, inundando el sótano.”

“El plomero no viene, estoy desesperado. Del Departamento del Distrito Federal, más vale no hablar. Es la primera vez que el agua de las lluvias no obedece a las coladeras y viene a dar a mi sótano. Los quejidos han cesado: vaya una cosa por otra.”

"Secaron el sótano, y el Chac Mool está cubierto de lama. Le da un aspecto grotesco, porque toda la masa de la escultura parece padecer de una erisipela verde, salvo los ojos, que han permanecido de piedra. Voy a aprovechar el domingo para raspar el musgo. Pepe me ha recomendado cambiarme a un apartamento, y en el último piso, para evitar estas tragedias acuáticas. Pero no puedo dejar este caserón, ciertamente muy grande para mí solo, un poco lúgubre en su arquitectura porfiriana, pero que es la única herencia y recuerdo de mis padres. No sé qué me daría ver una fuente de sodas con sinfonola en el sótano y una casa de decoración en la planta baja."

"Fui a raspar la lama del Chac Mool con una espátula. El musgo parecía ser ya parte de la piedra; fue labor de más de una hora, y sólo a las seis de la tarde pude terminar. No era posible distinguir en la penumbra, y al dar fin al trabajo, con la mano seguí los contornos de la piedra. Cada vez que repasaba el bloque parecía reblandecerse. No quise creerlo: era ya casi una pasta. Este mercader de la Lagunilla me ha timado. Su escultura precolombina es puro yeso, y la humedad acabará por arruinarla. Le he puesto encima unos trapos, y mañana la pasaré a la pieza de arriba, antes de que sufra un deterioro total."

"Los trapos están en el suelo. Increíble. Volví a palpar al Chac Mool Se ha endurecido, pero no vuelve a la piedra. No quiero escribirlo: hay en el torso algo de la textura de la carne, lo aprieto como goma, siento que algo corre por esa figura recostada... Volví a bajar en la noche. No cabe duda: el Chac Mool tiene vello en los brazos."

"Esto nunca me había sucedido. Tergiversé los asuntos en la oficina; giré una orden de pago que no estaba autorizada, y el director tuvo que llamarme la atención. Quizá me mostré hasta descortés con los compañeros. Tendré que ver a un médico, saber si es imaginación, o delirio, o qué, y deshacerme de ese maldito Chac Mool."

Hasta aquí, la escritura de Filiberto era la vieja, la que tantas veces vi en memoranda y formas, ancha y ovalada. La entrada del 25 de agosto, parecía escrita por otra persona. A veces como niño, separando trabajosamente cada letra; otras, nerviosa, hasta diluirse en lo ininteligible. Hay tres días vacíos, y el relato continúa:

"todo es tan natural; y luego, se cree en lo real... pero esto lo es, más que lo creído por mí. Si es real un garrafón, y más, porque nos damos mejor cuenta de su existencia, o estar, si un bromista pinta de rojo el agua... Real bocanada de cigarro efímera, real imagen monstruosa en un espejo de circo, reales, ¿no lo son todos los muertos, presentes y olvidados?... Si un hombre atravesara el Paraíso en un sueño, y le dieran una flor como prueba de que había estado allí, y si al despertar encontrara esa flor en su mano... ¿entonces, qué...? Realidad: cierto día la quebraron en mil pedazos, la cabeza fue a dar allá, la cola aquí, y nosotros no conocemos más que uno de los trozos desprendidos de su gran cuerpo. Océano libre y ficticio, sólo real cuando se le aprisiona en un caracol.

Hasta hace tres días, mi realidad lo era al grado de haberse borrado hoy: era movimiento reflejo, rutina, memoria, cartapacio. Y luego, como la tierra que un día tiembla para que recordemos su poder, o la muerte que llegará, recriminando mi olvido de toda la vida, se presenta otra realidad que sabíamos estaba allí, mostrenca, y que debe sacudirnos para hacerse viva y presente. Creía, nuevamente, que era imaginación: el Chac Mool, blando y elegante, había cambiado de color en una noche; amarillo, casi dorado, parecía indicarme que era un Dios, por ahora laxo, con las rodillas menos tensas que antes, con la sonrisa más benévola. Y ayer, por fin, un despertar sobresaltado, con esa seguridad espantosa de que hay dos respiraciones en la noche, de que en la oscuridad laten más pulsos que el propio. Sí, se escuchaban pasos en la escalera. Pesadilla. Vuelta a dormir... No sé cuánto tiempo pretendí dormir. Cuando volví a abrir los ojos, aún no amanecía. El cuarto olía a horror, a incienso y sangre. Con la mirada negra, recorrí la recámara, hasta detenerme en dos orificios de luz parpadeante, en dos flámulas crueles y amarillas.

Casi sin aliento encendí la luz.

Allí estaba Chac Mool, erguido, sonriente, ocre, con su barriga encarnada. Me paralizaban los dos ojillos, casi bizcos, muy pegados a la nariz triangular. Los dientes inferiores, mordiendo el labio superior, inmóviles; sólo el brillo del casquetón cuadrado sobre la cabeza anormalmente voluminosa, delataba vida. Chac Mool avanzó hacia la cama; entonces empezó a llover."

Recuerdo que a fines de agosto, Filiberto fue despedido de la Secretaría, con una recriminación pública del director, y rumores de locura y aun robo. Esto no lo creí. Sí vi unos oficios descabellados, preguntando al Oficial Mayor si el agua podía olerse, ofreciendo sus servicios al Secretario de Recursos Hidráulicos para hacer llover en el desierto. No supe qué explicación darme; pensé que las lluvias excepcionalmente fuertes, de ese verano, lo habían enervado. O que alguna depresión moral debía producir la vida en aquel caserón antiguo, con la mitad de los cuartos bajo llave y empolvados, sin criados ni vida de familia. Los apuntes siguientes son de fines de septiembre:

"Chac Mool puede ser simpático cuando quiere... un glu-glu de agua embelesada... Sabe historias fantásticas sobre los monzones, las lluvias ecuatoriales, el castigo de los desiertos; cada planta arranca su paternidad mítica: el sauce, su hija descarriada; los lotos, sus mimados; su suegra: el cacto. Lo que no puedo tolerar es el olor, extrahumano, que emana de esa carne que no lo es, de las chanclas flamantes de ancianidad. Con risa estridente, el Chac Mool revela cómo fue descubierto por Le Plongeon, y puesto, físicamente, en contacto con hombres de otros símbolos. Su espíritu ha vivido en el cántaro y la tempestad, natural; otra cosa es su piedra, y haberla arrancado al escondite es artificial y cruel. Creo que nunca lo perdonará el Chac Mool. Él sabe de la inminencia del hecho estético.

He debido proporcionarle sapolio para que se lave el estómago que el mercader le untó de *ketchup* al creerlo azteca. No pareció gustarle mi pregunta sobre su parentesco con Tláloc, y, cuando se enoja, sus dientes, de por sí repulsivos, se afilan y brillan. Los primeros días, bajó a dormir al sótano; desde ayer, en mi cama."

"Ha empezado la temporada seca. Ayer, desde la sala en que duermo ahora, comencé a oír los mismos lamentos roncos del principio, seguidos de ruidos terribles. Subí y entreabrí la puerta de la recámara: el Chac Mool estaba rompiendo las lámparas, los muebles; saltó hacia la puerta con las manos arañadas, y apenas pude cerrar e irme a esconder al baño... Luego bajó jadeante y pidió agua; todo el día tiene corriendo las llaves, no queda un centímetro seco en la casa. Tengo que dormir muy abrigado, y le he pedido no empapar la sala más."*

"El Chac Mool inundó hoy la sala. Exasperado, dije que lo iba a devolver a la Lagunilla. Tan terrible como su risilla —horrorosamente distinta a cualquier risa de hombre o animal— fue la bofetada que me dio, con ese brazo cargado de brazaletes pesados. Debo reconocerlo: soy su prisionero. Mi idea original era distinta: yo dominaría al Chac Mool, como se domina a un juguete; era, acaso, una prolongación de mi seguridad infantil; pero la niñez —¿quién lo dijo?— es fruto comido por los años, y yo no me he dado cuenta... Ha tomado mi ropa,

* Filiberto no explica en qué lengua se entendía con el Chac Mool.

y se pone las batas cuando empieza a brotarle musgo verde. El Chac Mool está acostumbrado a que se le obedezca, por siempre; yo, que nunca he debido mandar, sólo puedo doblegarme. Mientras no llueva —¿y su poder mágico?— vivirá colérico o irritable."

"Hoy descubrí que en las noches el Chac Mool sale de la casa. Siempre, al oscurecer, canta una canción chirriona y anciana, más vieja que el canto mismo Luego, cesa. Toqué varias veces a su puerta, y cuando no me contestó, me atreví a entrar. La recámara, que no había vuelto a ver desde el día en que intentó atacarme la estatua, está en ruinas, y allí se concentra ese olor a incienso y sangre que ha permeado la casa. Pero detrás de la puerta, hay huesos: huesos de perros, de ratones y gatos. Esto es lo que roba en la noche el Chac Mool para sustentarse. Esto explica los ladridos espantosos de todas las madrugadas."

"Febrero, seco. Chac Mool vigila cada paso mío; ha hecho que telefonee a una fonda para que me traigan diariamente arroz con pollo. Pero lo sustraído de la oficina ya se va a acabar. Sucedió lo inevitable: desde el día primero, cortaron el agua y la luz por falta de pago. Pero Chac ha descubierto una fuente pública a dos cuadras de aquí; todos los días hago diez o doce viajes por agua, y él me observa desde la azotea. Dice que si intento huir me fulminará; también es Dios del Rayo. Lo que él no sabe es que estoy al tanto de sus correrías nocturnas... Como no hay luz, debo acostarme a las ocho. Ya debería estar acostumbrado al Chac Mool, pero hace poco, en la oscuridad, me topé con él en la escalera, sentí sus brazos helados, las escamas de su piel renovada, y quise gritar."

"Si no llueve pronto, el Chac Mool va a convertirse en piedra otra vez. He notado su dificultad reciente para moverse; a veces se reclina durante horas, paralizado, y parece ser, de nuevo, un ídolo. Pero estos reposos sólo le dan nuevas fuerzas para vejarme, arañarme como si pudiera arrancar algún líquido de mi carne. Ya no tienen lugar aquellos intermedios amables en que relataba viejos cuentos; creo notar un resentimiento concentrado. Ha habido otros indicios que me han puesto a pensar: se está acabando mi bodega; acaricia la seda de las batas; quiere que traiga una criada a la casa;

me ha hecho enseñarle a usar jabón y lociones. Creo que el Chac Mool está cayendo en tentaciones humanas, incluso hay algo viejo en su cara que antes parecía eterna. Aquí puede estar mi salvación: si el Chac se humaniza, posiblemente todos sus siglos de vida se acumulen en un instante y caiga fulminado. Pero también, aquí, puede germinar mi muerte: el Chac no querrá que asista a su derrumbe, es posible que desee matarme."

"Hoy aprovecharé la excursión nocturna de Chac para huir. Me iré a Acapulco; veremos qué puede hacerse para adquirir trabajo, y esperar la muerte de Chac Mool; sí, se avecina; está canoso, abotagado. Necesito asolearme, nadar, recuperar fuerza. Me quedan cuatrocientos pesos. Iré a la Pensión Müller, que es barata y cómoda. Que se adueñe de todo el Chac Mool: a ver cuánto dura sin mis baldes de agua.

Aquí termina el diario de Filiberto. No quise volver a pensar en su relato; dormí hasta Cuernavaca. De ahí a México pretendí dar coherencia al escrito, relacionarlo con exceso de trabajo, con algún motivo psicológico. Cuando a las nueve de la noche llegamos a la terminal, aún no podía concebir la locura de mi amigo. Contraté una camioneta para llevar el féretro a casa de Filiberto, y desde allí ordenar su entierro.

Antes de que pudiera introducir la llave en la cerradura, la puerta se abrió. Apareció un indio amarillo, en bata de casa, con bufanda. Su aspecto no podía ser más repulsivo; despedía un olor a loción barata; su cara, polveada, quería cubrir las arrugas; tenía la boca embarrada de lápiz labial mal aplicado, y el pelo daba la impresión de estar teñido.

—Perdone... no sabía que Filiberto hubiera...

—No importa; lo sé todo. Dígale a los hombres que lleven el cadáver al sótano.

EN DEFENSA DE LA TRIGOLIBIA

*

La Trigolibia es el valor supremo de los Nusitanios. Cuando los Nusitanios se trigolibiaron de los Terribrios, lo primero que hicieron fue proclamar un Acta de Trigolibia y una Declaración de los Trigolibios del Hombre. Inmediatamente, colocaron ambos documentos en una vitrina y cobraron diez trigolíbidos por entrar a verlos. Organizados en Trigolíbica Trigoliba, los Nusitanios procedieron a elegir un Gran Trigolibio de la Trigolíbica; los candidatos, según la estadística primitiva de la época, pronunciaron setecientos discursos acerca de la Trigolibia, y naturalmente ganó el que con vehemencia superior exclamó, el mayor número de veces, "¡Trigolibia!". Los Nusitanios, ocioso es repetirlo, se sintieron desde el primer momento depositarios, expositores y dispensadores de la Trigolibia única; el hombre, decían, sólo es trigolibo en la Trigolíbica Trigoliba de Nusitania; cualquier otra Trigolibia, es apócrifa. Para defender a la Trigolibia, prohibieron a los hombres de Perupla visitar a los de Tropereta. Los hombres de Tropereta se vieron obligados a no llevar amistad más que con los de Nusitania, y a venderles sólo a ellos sus troperanos, troperocos y troperóleos. Pero esto nos aleja del tema de la Trigolibia.

La esencia de la Trigolibia, decían los Nusitanios, es el libre trigolibear entre los hombres. Naturalmente, mientras más trigolibeen los hombres entre sí, más trigolíbicos serán. Gracias a esta filosofía, Nusitania se convirtió en el país más poderoso y trigolíbico del mundo, y cuando fue necesario, mandó tropas a todas partes a fin de defender con la sangre la Trigolibia y hacer al mundo trigolíbico para la Trigolibia.

Pero he aquí que en las tierras lejanas de Tundriusa, unos hombres vestidos de pieles tomaron el poder y proclamaron, a su vez, la Trigolíbica de Trigolibadas Trigolíberas Trigolíbundas. Los Tundriusos argumentaban que sólo hay Trigolibia cuando la infratrigolibosis trigolibera de la Trigolibia es trigolibificada y los trigolibentos de la trigolibución son puestos en manos del trigolibicado. Los Tundriusos instalaron una Trigolibificatura del Trigolibicado y prometieron para muy pronto la verdadera Trigolibia en la tierra. Para defender la Trigolibia —que también declararon bien de su exclusiva pertenencia— los Tundriusos crearon campos de trigolibiación en donde encerraban a los enemigos de la Trigolibia para enseñarles a amar a la Trigolibia. Todo enemigo de Tundriusa, declararon los Trigolibificadores del Trigolibicado, es enemigo de la Trigolibia. Y los Nusitanios, para no ser menos, declararon lo mismo.

En vista del audaz secuestro de su bienamada idea de Trigolibia por los Tundriusos, los Nusitanios decidieron salir nuevamente por el mundo a defender la Trigolibia. Para ello, se vieron obligados a extender los beneficios adjetivos de la Trigolibia a todos los países hambrientos de trigolíbidos, aunque muchos de estos países fueran antitrigolíbicos. Se creó así el Mundo Trigolíbido. El Comité de Actividades Antitrigolíbicas investiga a las personas sospechosas de atentar contra la Trigolibia en el territorio de Nusitania y fuera de él, de acuerdo con un interesante juego: si A, por ejemplo, lucha por uno de los postulados de la Declaración de Trigolibios del Hombre, A es antitrigolibio porque atenta contra la Trigolibia de quienes luchan contra ese mismo postulado y la Trigolibia no puede luchar contra sí misma. Si B opina que la mejor defensa de la Trigolibia es el fomento de la misma en los países antitrigolíbicos del Mundo Trigolíbido, B es antitrigolibio porque la antitrigolibia de los países antitrigolíbicos del Mundo Trigolíbido es la Trigolibia de Nusitania. Y cuando un país trigolíbico estima que debe respetarse su Trigolibia, la Trigolíbica Trigoliba de Nusitania le demuestra que la Trigolibia es un concepto unitario, y que hablar de una Trigolibia dentro de la Trigolibia, opuesta a la Trigolibia, o coexistente con la Trigolibia, equivale a sembrar confusión y desconfianza en el Mundo Trigolíbido.

Los Trigolibificadores del Trigolibicado Tundriuso también defienden la Trigolibia a su manera. Su juego favorito es en tres tiempos (hoy, Trigolibismo; mañana, Antitrigolibismo; pasado mañana, Antiprotrigolibificación). Por ello, ser protrigolibífico es una manera de ser antitrigolibífico, y ser antitrigolibífico otra de ser protrigolibífico. En Tundriusa, todos buscan el bien de Trigolibicado, y la Trigolibifucatura obra por todos, es decir, por el Trigolibicado; pero si todos buscaran el bien del Trigolibicado sin la Trigolibificatura, buscarían su mal porque la Trigolibificatura, siendo todos, es el Trigolibicado, pero todos, siendo el Trigolibicado, no son la Trigolibificatura. Los Tundriusos aseguran que la Trigolibia nunca ha existido, todavía no existe, existirá mañana pero ya existe en Tundriusa. De ahí el siguiente conjunto de verdades:

a] Prohibido luchar por la Trigolibia, puesto que ésta nunca ha existido y no se puede luchar por una quimera.

b] Prohibido vivir de acuerdo con la Trigolibia, puesto que ésta todavía no existe.

c] Prohibido dudar de la Trigolibia, puesto que ésta existirá, irremediablemente, mañana, y en cuanto la Trigolibificatura desaparezca, ya que cada día se hace más pequeña a fuerza de crecer.

d] Prohibido adoptar actitudes antitrigolíbicas, puesto que la Trigolibia ya es un hecho concreto en Tundriusa.

Estas normas, como es sabido, derivan del principio explicado por el Padre de la Trigolibia Tundriusa, Trigolibín: "Todos en Tundriusa son trigolíbicos, menos los trigolíbicos, los antitrigolíbicos y los protrigolíbicos".

Ahora, Nusitania y Tundriusa libran lo que los espíritus más enterados han llamado la Frigotrigolibia.

El lema de Nusitania es: "Defender la Trigolibia hoy, o ser trigolíbicos mañana". Y el de

Tundriusa: "Por una Trigolibia sin Trigolibia". Los países de Perupla, que no dicen defenderla, opinan que la Trigolibia es tan sólo la posibilidad de desear la Trigolibia. Los de Tropereta, su atención distraída en el problema de investigar la metafísica del Troperetano, no se ocupan de la Trigolibia.

Ésta es la defensa de la Trigolibia.

TLACTOCATZINE, DEL JARDÍN DE FLANDES

*

19 Sept. ¡El licenciado Brambila tiene cada idea! Ahora acaba de comprar esa vieja mansión del Puente de Alvarado, suntuosa pero inservible, construida en tiempos de la Intervención Francesa. Naturalmente, supuse que se trataba de una de tantas operaciones del licenciado, y que su propósito, como en otra ocasión, sería el de demoler la casa y vender el terreno a buen precio, o en todo caso construir allí un edificio para oficinas y comercios. Esto, como digo, creía yo entonces. No fue poca mi sorpresa cuando el licenciado me comunicó sus intenciones: la casa, con su maravilloso *parquet*, sus brillantes candiles, serviría para dar fiestas y hospedar a sus colegas norteamericanos —historia, folklore, elegancia reunidos. Yo debería pasarme a vivir algún tiempo a la mansión, pues Brambila, tan bien impresionado por todo lo demás, sentía cierta falta de calor humano en esas piezas, de hecho deshabitadas desde 1910, cuando la familia huyó a Francia. Atendida por un matrimonio de criados que vivían en la azotea, mantenida limpia y brillante —aunque sin más mobiliario que un magnífico Pleyel en la sala durante cuarenta años—, se respiraba en ella (añadió el licenciado Brambila) un frío muy especial, notoriamente intenso con relación al que se sentiría en la calle.

—Mire, mi güero. Puede usted invitar a sus amigos a charlar, a tomar la copa. Se le instalará lo indispensable. Lea, escriba, lleve su vida habitual.

Y el licenciado partió en avión a Washington, dejándome conmovido ante su fe inmensa en mis poderes de calefacción.

19 Sept. Esa misma tarde me trasladé con una maleta al Puente de Alvarado. La mansión es en verdad hermosa, por más que la fachada se encargue de negarlo, con su exceso de capiteles jónicos y cariátides del Segundo Imperio. El salón, con vista a la calle, tiene un piso oloroso y brillante, y las paredes, apenas manchadas por los rectángulos espectrales donde antes colgaban los cuadros, son de un azul tibio, anclado en lo antiguo, ajeno a lo puramente viejo.

Los retablos de la bóveda (Zobeniga, el embarcadero de Juan y Pablo, Santa María de la Salud) fueron pintados por los discípulos de Francesco Guardi. Las alcobas, forradas de terciopelo azul, y los pasillos, túneles de maderas, lisas y labradas, olmo, ébano y boj, en el estilo flamenco de Viet Stoss algunas, otras más cercanas a Berruguete, al fasto dócil de los maestros de Pisa. Especialmente, me ha gustado la biblioteca. Ésta se encuentra a espaldas de la casa, y sus ventanas son las únicas que miran al jardín, pequeño, cuadrado, lunar de siemprevivas, sus tres muros acolchonados de enredadera. No encontré entonces las llaves de la ventana, y sólo por ella puede pasarse al jardín. En él, leyendo y fumando, habrá de empezar mi labor humanizante de esta isla de antigüedad. Rojas, blancas, las siemprevivas brillaban bajo la lluvia; una banca del viejo estilo, de fierro verde retorcido en forma de hojas, y el pasto suave, mojado, hecho un poco de caricias y persistencia. Ahora que escribo, las asociaciones del jardín me traen, sin duda, las cadencias de Rodenbach... *Dans l'horizon du soir où le soleil recule ... la fumée éphémère et pacifique ondule ... comme une gaze où des prunelles sont cachées; et l'on sent, rien qu'à voir ces brumes détachées, un douloureux regret de ciel et de voyage...*

20 Sept. Aquí se está lejos de los "males parasitarios" de México. Menos de veinticuatro horas entre estos muros, que son de una sensibilidad, de un fluir que corresponde a otros litorales, me han inducido a un reposo lúcido, a un sentimiento de las inminencias; en todo momento, creo percibir con agudeza mayor determinados perfumes propios de mi nueva habitación, ciertas siluetas de memoria que, conocidas otras veces en pequeños relámpagos, hoy se dilatan y corren con la viveza y lentitud de un río. Entre los remaches de la ciudad, ¿cuándo he sentido el cambio de las estaciones? Más: no lo sentimos en México; una estación se diluye en otra sin cambiar de paso, "primavera inmortal y sus indicios"; y las estaciones pierden su carácter de novedad reiterada, de casilleros con ritmos, ritos y goces propios de fronteras a las que enlazar nostalgias y proyectos, de señas que nutran y cuajen la conciencia. Mañana es el equinoccio. Hoy, aquí, sí he vuelto a experimentar, con un dejo nórdico, la llegada del otoño. Sobre el jardín que observo mientras escribo, se ha desbaratado un velo gris; de ayer a hoy, algunas hojas han caído del emparrado, hinchando el césped; otras, comienzan a dorarse, y la lluvia incesante parece lavar lo verde, llevárselo a la tierra. El humo del otoño cubre el jardín hasta las tapias, y casi podría decirse que se escuchan pasos, lentos, con peso de respiración, entre las hojas caídas.

21 Sept. Por fin, he logrado abrir la ventana de la biblioteca. Salí al jardín. Sigue esta llovizna, imperceptible y pertinaz. Si ya en la casa rozaba la epidermis de otro mundo, en el jardín me pareció llegar a sus nervios. Esas siluetas de memoria, de inminencia, que noté ayer, se crispan en el jardín; las siemprevivas no son las que conozco: éstas están atravesadas de un perfume que se hace doloroso, como si las acabaran de recoger en una cripta, después de años entre polvo y mármoles. Y la lluvia misma remueve, en el pasto, otros colores que quiero insertar en ciudades, en ventanas; de pie en el centro del jardín, cerré los ojos... tabaco javanés y aceras mojadas... arenque... tufos de cerveza, vapor de bosques, troncos de encina... Girando, quise retener de un golpe la impresión de este cuadrilátero de luz incierta, que incluso a la intemperie parece filtrarse por vitrales amarillos, brillar en los braseros, hacerse melancolía aun antes de ser luz... y el verdor de las enredaderas, no era el acostumbrado en la tierra cocida de las mesetas; tenía otra suavidad, en que las copas lejanas de los árboles son azules y las piedras se cubren con limos grotescos... ¡Memling, por una de sus ventanas había yo visto este mismo paisaje, entre las pupilas de una virgen y el reflejo de los cobres! Era un paisaje ficticio, inventado. ¡El jardín no estaba en México!... y la lluviecilla... Entré corriendo a la casa, atravesé el pasillo, penetre al salón y pegué la nariz en la ventana: en la Avenida del Puente de Alvarado, rugían las sinfonolas, los tranvías y el sol, sol monótono, Dios-Sol sin matices ni efigies en sus rayos, Sol-piedra estacionario, sol de los siglos breves. Regresé a la biblioteca: la llovizna del jardín persistía, vieja, encapotada.

21 Sept. He permanecido, mi aliento empañando los cristales, viendo el jardín. Quizá horas, la mirada fija en su reducido espacio. Fija en el césped, a cada instante más poblado de hojas. Luego, sentí el ruido sordo, el zumbido que parecía salir de sí mismo, y levanté la cara. En el jardín, casi frente a la mía, otra cara, levemente ladeada, observaba mis ojos. Un resorte instintivo me hizo saltar hacia atrás. La cara del jardín no varió su mirada, intransmisible en la sombra de las cuencas. Me dio la espalda, no distinguí más que su pequeño bulto, negro y encorvado, y escondí entre los dedos mis ojos.

22 Sept. No hay teléfono en la casa, pero podría salir a la avenida, llamar a mis amigos, irme al Roxy... ¡pero si estoy viviendo en mi ciudad, entre mi gente! ¿por qué no puedo arrancarme de esta casa, diría mejor, de mi puesto en la ventana que mira al jardín?

22 Sept. No me voy a asustar porque alguien saltó la tapia y entró al jardín. Voy a esperar toda la tarde, ¡sigue lloviendo, día y noche!, y agarrar al intruso... Estaba dormitando en el sillón, frente a la ventana, cuando me despertó la intensidad del olor a siempreviva. Sin vacilar, clavé la vista en el jardín —allí estaba. Recogiendo las flores, formando un ramillete entre sus manos pequeñas y amarillas... Era una viejecita... tendría ochenta años, cuando menos, ¿pero cómo se atrevía a entrar, o por dónde entraba? Mientras desprendía las flores, la observé: delgada, seca, vestía de negro. Falda hasta el suelo, que iba recogiendo rocío y tréboles, la tela caía con la pesantez, ligera pesantez, de una textura de Caravaggio; el saco negro, abotonado hasta el cuello, y el tronco doblegado, aterido. Ensombrecía la cara una cofia de encaje negro, ocultando el pelo blanco y despeinado de la anciana. Sólo pude distinguir los labios, sin sangre, que con el color pálido de su carne penetraban en la boca recta, arqueada en la sonrisa más leve, más triste, más permanente y desprendida de toda motivación. Levantó la vista; en sus ojos no había ojos... era como si un camino, un paisaje nocturno partiera de los párpados arrugados, partiera hacia adentro, hacia un viaje infinito en cada segundo. La anciana se inclinó a recoger un capullo rojo; de perfil, sus facciones de halcón, sus mejillas hundidas, vibraban con los ángulos de la guadaña. Ahora caminaba, ¿hacia...? No, no diré que cruzó la enredadera y el muro, que se evaporó, que penetró en la tierra o ascendió al cielo; en el jardín pareció abrirse un sendero, tan natural que a primera vista no me percaté de su aparición, y por él, con... lo sabía, lo había escuchado ya... con la lentitud de los rumbos perdidos, con el peso de la respiración, mi visitante se fue caminando bajo la lluvia.

23 Sept. Me encerré en la alcoba; atranqué la puerta con lo que encontré a mano. Posiblemente no serviría para nada; por lo menos, pensé que me permitiría hacerme la ilusión de poder dormir tranquilo. Esas pisadas lentas, siempre sobre hojas secas, creía escucharlas a cada instante; sabía que no eran ciertas, hasta que sentí el mínimo crujido junto a la puerta, y luego el frotar por la rendija. Encendí la luz: la esquina de un sobre asomaba sobre el terciopelo del piso. Detuve un minuto su contenido en la mano; papel viejo, suntuoso, palo-de-rosa. Escrita con una letra de araña, empinada y grande, la carta contenía una sola palabra:

TLACTOCATZINE

23 Sept. Debe venir, como ayer y anteayer, a la caída del sol. Hoy le dirigiré la palabra; no podrá escaparse, la seguiré por su camino, oculto entre las enredaderas...

23 Sept. Sonaban las seis cuando escuché música en el salón; era el famoso Pleyel, tocando valses. A medida que me acerqué, el ruido cesó. Regresé a la biblioteca: ella estaba en el jardín; ahora daba pequeños saltos, describía un movimiento... como el de una niña que juega con su aro. Abrí la ventana; salí. Exactamente, no sé qué sucedió; sentí que el cielo, que el aire mismo, bajaban un peldaño, caían sobre el jardín; el aire se hacía monótono, profundo, y todo ruido se suspendía. La anciana me miró, su sonrisa siempre idéntica, sus ojos extraviados en el fondo del mundo; abrió la boca, movió los labios: ningún sonido emanaba de aquella comisura pálida; el jardín se comprimió como una esponja, el frío metió sus dedos en mi carne...

24 Sept. Después de la aparición del atardecer, recobré el conocimiento sentado en el sillón de la biblioteca; la ventana estaba cerrada; el jardín solitario. El olor de las siemprevivas se ha esparcido por la casa; su intensidad es particular en la recámara. Allí esperé una nueva misiva, otra señal de la anciana. Sus palabras, carne de silencio, querían decirme algo... A las once de la noche, sentí cerca de mí la luz parda del jardín. Nuevamente, el roce de las faldas largas y tiesas junto a la puerta; allí estaba la carta:

"Amado mío:
La luna acaba de asomarse y la escucho cantar; todo es tan indescriptiblemente bello".

Me vestí y bajé a la biblioteca; un velo hecho luz cubría a la anciana, sentada en la banca del jardín. Llegué junto a ella, entre el zumbar de abejorros; el mismo aire, del cual el ruido desaparece, envolvía su presencia. La luz blanca agitó mis cabellos, y la anciana me tomó de las manos, las besó; su piel apretó la mía. Lo supe por revelación, porque mis ojos decían lo que el tacto no corroboraba: sus manos en las mías, no tocaba sino viento pesado y frío, adivinaba hielo opaco en el esqueleto de esta figura que, de hinojos, movía sus labios en una letanía de ritmos vedados. Las siemprevivas temblaban, solas, independientes del viento. Su olor era de féretro. De allí venían, todas, de una tumba; allí germinaban, allí eran llevadas todas las tardes por las manos espectrales de una anciana... y el ruido regresó, la lluvia se llenó de amplificadores, y la voz, coagulada, eco de las sangres vertidas que aún transitan en cópula con la tierra, gritó:

—¡Kapuzinergruft! ¡¡Kapuzinergruft!!

Me arranqué de sus manos, corrí a la puerta de la mansión —hasta allá me perseguían los rumores locos de su voz, las cavernas de una garganta de muertes ahogadas—, caí temblando, agarrado a la manija, sin fuerza para moverla.

De nada sirvió; no era posible abrirla.

Está sellada, con una laca roja y espesa. En el centro, un escudo de armas brilla en la noche, su águila de coronas, el perfil de la anciana, lanza la intensidad congelada de una clausura definitiva.

Esa noche escuché a mis espaldas —no sabía que lo iba a escuchar por siempre— el roce de las faldas sobre el piso; camina con una nueva alegría extraviada, sus ademanes son reiterativos y delatan satisfacción. Satisfacción de carcelero, de compañía, de prisión eterna. Satisfacción de soledades compartidas. Era su voz de nuevo, acercándose, sus labios junto a mi oreja, su aliento fabricado de espuma y tierra sepultada:

—...y no nos dejaban jugar con los aros, Max, nos lo prohibían; teníamos que llevarlos en la mano, durante nuestros paseos por los jardines de Bruselas... pero eso ya te lo conté en una carta, en la que te escribía de Bouchot, ¿recuerdas? Pero desde ahora, no más cartas, ya estamos juntos para siempre, los dos en este castillo... Nunca saldremos; nunca dejaremos entrar a nadie... Oh, Max, contesta, las siemprevivas, las que te llevo en las tardes a la cripta de los capuchinos, ¿no saben frescas? Son como las que te ofrendaron cuando llegamos aquí, tú, Tlactocatzine... Nis tiquimopielia inin maxochtzintl...

Y sobre el escudo leí la inscripción:

CHARLOTTE, KAISERIN VON MEXIKO

LETANÍA DE LA ORQUÍDEA

*

—Mira, ve: ya empezó el invierno.

De las espaldas del cielo caía sobre Panamá un torrente de filos claros que escurrían, de la tierra herida en las calles adyacentes, a la Vía España. En la frontera de asfalto las aguas turbias se arrinconaban desorientadas, temiendo sin conciencia la succión del drenaje. Respiración lejana de la ciudad, marcha de rumores, quedaba suspendida en el vapor de las aceras, en el occipucio de las palmas, en los cuerpos estacionados bajo los toldos.

Luz visceral, amarilla como la lluvia al abrazar el polvo. Muriel despertó, eran las doce del día. Las ventanas abiertas se mecían hasta formar una esdrújula reticente; las sábanas caían pesadas sobre su cuerpo. Sombra corta de las patas de la mesa, y el silencio dominaba la tos del hombre. Ana ya no estaba; quizá volvería en la tarde, mojada, a pasearse en su cáscara floja.

Muriel extendió los brazos y colocó sus manos sobre la cabeza. Entre los minutos, moscas verdes visitaban el mapa gris de su torso, y los sobacos vencían al aire. Vacío: sólo observaba las lejanas colinas, recortadas por la navaja oscura del día. Ni un pájaro, ni un presagio. Únicamente tiempo enredado en la maraña de electricidad. Jugaba con lentitud a la jitanjáfora: el país estaba poblado de ellas, eran como sus pies...

Alanje, Guararé, Macaracas, Arraiján, Chiriquí.

Sambu, Chitré, Penonomé.

Chicán, Cocolí, Portogandí. . . Ese ritmo era una defensa.

Cuando escampó, Muriel se levantó con la frente empapada. Fue al closet a buscar sus zapatos; estaban cubiertos de un limo verde, igual que sus libros, reblandecidos, resistiéndose a que se les leyera. En un plato, quedaban cubos de hielo agonizantes; los colocó sobre su pescuezo, y apretó duro, hasta que le volvió la tos. Cerca de las ventanas, las plantas jaspeadas volvían a hincharse, sus brazos abiertos picoteados de rojo. Con ellas, renacían el sol y el lento pulular: diástole paralítica de la Avenida

Central, línea de la vida divergente, disparada por las hojas frágiles sobre los quioscos de Santa Ana, ahogada en un raspado de limón, manos en las dos orillas de la Zona del Canal, estirando los nervios hasta no alcanzarse. Los murmullos tornaban a la cabeza de Muriel con el cuentagotas del sudor.

En ese momento, sintió Muriel la comezón en la rabadilla. Rascarla, la acrecentaba. Era algo más... una bola que parecía cobrar autonomía del resto del cuerpo. Una sed de magia, o de medicina, le hizo saltar de la cama, ¡quién sabe qué gárgolas tropicales podrían invadirlo todo, fabricadas de carne, pero, como las otras, pétreas en su espíritu y su risa permanente! Era el día, el día que en una mueca alegre reservaba la tiniebla y la cancelación. Habría que esperar la noche para reconquistar los testimonios, para sentir la luz y derramarla con ritmo. En la noche estaba la permanencia: la cumbia fijaba, el tamborito, copa de latidos vertiente, el eco incesante de los vasos, eliminaban el tránsito sin fin que en silencio corría durante el sol. En la noche, había tiempo entre los adioses.

¡Maldita humedad! Los dedos le resbalaron sobre la hinchazón, no era posible apresarla y rascar. Y crecía, crecía hasta estallar, medallón de poros líquidos. Muriel se desnudó, y con la nuca torcida, fue a reflejarse de espaldas al cristal. Ya no era posible rascar sin ultrajes, y al minuto, sin quebrar: los pétalos de amarillo y violeta, el metal informe del polen, el tallo bulboso: había nacido una orquídea, perfecta, de abandonada simetría, lánguida en su indiferencia al terreno de germinación.

Orquídeas en la rabadilla. Sentía que el paisaje lo mamaba con dientes de alfiler, hundiendo las raíces del suelo en su piel, amasando su cerebro contra la roca hasta hacer de sus ojos un risco ciego.

Pero había problemas prácticos a los cuales atender. ¿Cómo ponerse los pantalones? ¿La flor, convertida en pasta? Del tallo de la orquídea al centro de sus nervios corría un dictado que soldaba la vida de la flor a la suya propia. No tuvo más remedio que recortar un círculo en la parte trasera del pantalón, para que la orquídea brotara públicamente por él. Así decorado, no tuvo empacho en salir a la calle: hay formas del prestigio que lo abarcan todo. A varios meses del Carnaval, quizá se le confundió con una condición suspensiva; acaso, se le consideró una nueva modalidad de la alegría. El hecho es que la orquídea paseó, en un vaivén gracioso, ante la mirada blanca de los bazares hindús, entre las faldas tensas y las blusas moradas de los negros de Calidonia, sin más furia que el ojo de una serpiente. Horas y horas, en un paseo caluroso que no parecía mermar la fresca galanura de la flor. En la cantina del Coco Pelao, Muriel la roció de pipa; la flor cambió de colores, pero se esponjó gozosa, sus pétalos abrazaron las nalgas del hombre, lo sacaron de la cantina, lo empujaron hasta las puertas del *Happyland*. Esa noche, bailó Muriel como nunca; la orquídea marcaba el son, sus savias corrían hasta los talones del danzarín, subían al plexo, lo arrastraban de rodillas, lo agitaban en un llanto seco y rabioso. De la raíz de la orquídea salían chillando ondas tensas como una letanía ¡Chimbombó! ¡Chimbombó!

¡Chimbombó! cierra mis heridas, junta mis manos,
erendoró, cicatriza mi vagina, detén las horas,
dame un porvenir
dame una lágrima Chimbombó, detén mi risa
apresura mi fantasma,
hazme la quietud
déjame hablar español,
alambó,
mata el ritmo para que me cree, une mis pulmones,
llena de tierra y flores las esclusas,
no me vendas por la luna, haz de mis uñas puentes,
quítame el tatuaje de estrellas,

¡Chimbombó!

Así gemía la orquídea, y todos —marineros verdes, turistas, mulatas de conos rebotantes— admiraban la belleza triste de la flor, sus movimientos de cosquilla, sus cambios de color con cada pieza musical. ¡La orquídea era un tesoro, plantado hoy en el invernadero de su rabadilla, pero...! Si ésta había florecido, ¿por qué no podrían germinar más, y más, únicas, en mutaciones sin límite? Orquídeas que saldrían congeladas, en avión, a las mil ciudades donde aún quedara una mujer con fe en las insinuaciones corteses.

Muriel salió corriendo del *Happyland,* jadeante, sin parar hasta su casa. Ana no había regresado. Poco importaba. Rápidamente, se desnudó y tomó la navaja; sin vacilación cortó de un tajo la orquídea y la plantó en un vaso de agua. Del hueso apenas brotaba un muñón verde.

¡Primera de la cosecha, a veinte dólares cada una! No le quedaba sino esperar, tendido en la cama, a que diariamente, entre doce y dos, floreciera una nueva. Acaso nacerían multiplicadas —cuarenta, ochenta, cien dólares diarios.

Y entonces, sin aviso, del lugar exacto en que la flor había sido cercenada, brotó una estaca ríspida y astillosa. Muriel ya no pudo gritar;

con un chasquido desgarrante, la estaca irrumpió entre sus piernas y ya aceitada de sangre, corrió, rajante, por las entrañas del hombre, devorando sus nervios, lenta y ciega, quebrando en cristales el corazón. Ya no hablar, ya no describir. Y allí amaneció Muriel, partido por la mitad, empalado, sus brazos crispados en dos direcciones. Los pétalos de la orquídea marchita en el vaso seco, reflejaban en los ojos muertos de Muriel un lento oleaje de luz.

Afuera, entre las preposiciones, Panamá se colgaba de los dientes a su propio ser. *Pro Mundi Beneficio.*

POR BOCA DE LOS DIOSES

*

(Bingbingbing goteaba la cara de la ventana llorando los remordimientos ajenos, mientras yo intentaba perseguir las manecillas que empezaban —cerca, las doce— a estrangularme. Alta la ventana, bajo el techo, las paredes gemían por tocarse en una cópula de cemento; sí, se iban acercando, angostando, ésta corta, aquélla delgada, la tercera barrigona, la otra con una vagina de vidrio, único laberinto al mapa andrajoso de la Gran Ciudad. No quería mirar a través del cristal; de eso huía, encerrado aquí, siempre: de la pasta, del jamoncillo empalagoso pintado de rosa como su única sonrisa amable inmersa en el inmenso tianguis, de palacios avergonzados [illegible]currientes de cacahuate, de la plaga de roedores vestidos de gabardina y mezclilla, abochornados de su cielo, de esos mismos roedores —*natura naturata*— pasados por el molino de luz neón que los convierte en grandes carroñas maquilladas, se adivina el sexo afeitado, la herida siempre abierta disimulada por el tweed, el diente falso flotando en una tumba nocturna de formol. Cuando el reloj se abraza a sí mismo, al erguirse y apretarse las dos piernas del tiempo en la medianoche, sé que no tardarán las visitas indeseadas; están, silenciosas en la antesala de mi olvido, hasta que los pies les punzan con un ritmo oscuro, sé que el repiqueteo de la puerta, el aullar de las gargantas peludas cantando en silencio a su plexo, el falso balumboyó tropical, su tántara-ranta-tantán en las paredes, es un disfraz, un disimulo cortés, una invitación al chocolate de los canónigos de ojos de serpiente, envenenado de dolor y latente de coágulos; y rasguean sin cesar, miles de guitarras, como si sus dedos mismos fueran cuerdas. ¿Qué traen en sus manos y en sus cerebros, detrás de la sonrisa y el cachondeo de los abrazos inevitables? Una noche, quisieron introducirse como mariachis; bastó el río de gemidos —que empezó a inundar mi cuarto por el ojo de la llave ¡allí están siempre sus ojos, sin hálito! como si el asesinato fuera líquido— para enloquecerme y rabiar. Y no, me lo ofrecían como sus presentes, ¡no saben de las cajas de Pandora, de las fuerzas homicidas de la mitología! La suva sigue viva, sus monstruos de jade y emboli siguen gravitando como máscaras daltónic que sin color se pierden en el polvo y el drenaje, que corretean subterráneas para asomar sus fauces de tarde en tarde, que cabalgan por el aire secando sus montes y moviendo los puñales de obsidiana. Se esconden en los ombligos, relampaguean en los encabezados rojos, se sumergen bajo el lodo cuando vienen las invasiones; dormitan siestas seculares; en el fondo de cada callejuela, se detienen vidas, en las canas, se columpian, en los cráteres, serpentean. Siesta enorme, y cuando se despiertan para masticar, alguien grita desde lo alto de los nopales: "¡Hemos vuelto a encontrarnos!" Vengo huyendo de ellos, de sus formas menores, y están aquí, gigantes sin más dimensión que la cólera cortés y el son reticente de las guitarras. En las calles, me miran feo, pisan mis pies, me empujan, me pintan violines y me tocan el claxon, ¡ay de observar a sus mujeres, ay de rehusar sus alcoholes, ay de demostrar que mi cerebro y mi memoria no laten a su compás!)

En la escalinata de Bellas Artes, me encontré

a Don Diego. Casi nunca salgo de mi cuarto de hotel; cuando lo hago, ando solo, y si me acompaño de alguien, es para que me vista. Pero Don Diego es un viejecillo casi enano, casi jorobado, decorado de caspa, y con un estilo de conversación que acaba por crisparme.

—¡Caro Oliverio! ¡Felices los ojos! ¿Qué milagro es éste? Sin duda vienes —ah, muchachos estridentistas— a ver eso que llaman arte en el último piso. Anda, anda, acompáñame primero a la sala colonial, sabes que es mi preferida, y después te daré el gusto de recorrer juntos la de arte moderno. Pasa, pasa: de ninguna manera, tú primero. ¡No faltaba más!

En la sala colonial, Don Diego discurrió largamente a la cara de un anónimo del siglo XVIII. Una preciosa mujer, morena, con matiz de piloncillo, cejas inolvidables y vestida de encaje blanco. Subimos a la exposición de pintura contemporánea. Don Diego empezó a dar pequeños bastonazos de impaciencia:

—Ay, ay, ay, a esto llaman arte. ¡Válgame! Ya te pasará la fiebre por estas monstruosidades, Oliverio. ¡Cuando se es viejo, se busca la belleza y se anhelan las cosas simples!

Caminamos por la galería trapezoide, observando los cuadros ahorcados en las paredes de balsa. Luz, submarina y celeste, penetraba como cubos de hielo por la ventana norte, masticando detalles para puntualizar lo esencial: la joroba de Don Diego, mi nariz café, y un cuadro lejano en un rincón.

—Ta-ma-yo, 1958 —leyó, con la retina arrugada, Don Diego—. ¡Bah! Compare usted con el anónimo que acabamos de ver. Aquella mujer, todavía puede usted encontrarla a cualquier hora en la calle, pero ésta... Descuartizada por los colores como si el arte acabara por asesinar al arte. Mira, fíjate nada más, ese pescuezo ilusorio, esa... ¡bah! ¿dónde se ha visto una mujer así?

—Las máscaras suelen convertirse en facciones —repuse—. Y esa boca. "El tedio la hace cruel", algo así. Mire, Don Diego, es distinta, como voluntariamente alejada de lo que pueda hacerla feliz. Distinta, mexicana, excelente...

—¡Bah! Parece una oreja.

Empezaban a marearme los bastonazos y la halitosis del viejillo, espantoso, con un boleto de camión metido en el ojal.

—¿Qué sabe usted de los testamentos secretos del arte? Y quizá tenga razón. Puede ser la oreja que Van Gogh se cortó y regaló a una mujer, como presente de Pascuas, en un prostíbulo de Arles. Y luego, Nuño de Guzmán y sus émulos cortaron tantas orejas a los indios, como para asemejarlos a sus ídolos, para ofrecer equitativamente las heridas. ¿Quién impide recoger algunas, o cortar otras, y pegarlas a un cuadro?

Algo de esto parece ser cierto; la boca del cuadro se rió.

Don Diego temblaba histéricamente, y yo sentí cosquillas. La boca se rió. Cuando mi risa y la del viejecillo ya habían terminado, los labios del cuadro trataban de disimular su hilaridad. El cuadro tenía una dimensión, y la boca, al parecer, tres.

Afortunadamente, los mozos del local habían dejado olvidada una cubeta. La tomé, agarré la boca con el puño y, arrancada, la coloqué en el fondo del recipiente. Allí, la boca se retorcía y daba vueltas, resbalaba por la lata, pero no podía salir nunca.

—¡Oliverio! Eso es antiestético. Esa boca pertenece a ese cuadro. Devuélvela; no se pueden hacer estas cosas: es como sacrificar, querido amigo, la dignidad por el confort, no...

No era posible tolerar más la ramplonería del anciano; dije alguna estupidez —"el arte es de y para todos"— y me alejé con la cubeta, rítmicamente. La boca aullaba todavía. Cuando la miraba, una sombra parecía ahogar el recipiente y los labios ondulaban flotantes, como si mi carne fuera líquida. Don Diego —lo adivinaba saltando como una tortuga dentro de su caparazón deforme. Furioso, chillaba, vuelve, vuelve, no se pueden trastornar así las cosas, nunca se podrá comprender ese cuadro, rajado, con la cicatriz que acabas de estamparle. ¿Comprender? Viejo imbécil. No había entendido nada —que lo importante era contemplar, el cuadro herido, la boca en la cubeta, los monstruos en el aire. ¡Comprender! Regresé a golpear atrozmente la cara del anciano, a patear su joroba y sus dientes. Sé crearme bien estos estados de furia, volitivamente. A nadie sorprenden tanto como a mí.

La galería entera se había oscurecido, las pinturas lloraban, y dejaron caer un velo. Sólo el cuadro sin labios permanecía encandilado. Su expresión se caía a jirones, y la boca era un remolino de sangre. Los labios en la cubeta no cesaban de aullar, mientras, fuera de mí, atizaba los gritos de Don Diego con golpes: por fin, al romper la liga, el viejo rodó hasta el ventanal y salió a través de sus cristales. Corrí, lo vi caer. Rana, boca abajo sobre el pavimento. De la mancha estrellada, empezaron a correr hilos. Descendí rápidamente con mi presa. En el pórtico una mujer andrajosa, manchada de tiña, pero exacta a la mestiza de cejas inolvidables, al anónimo del siglo XVIII, pedía limosna. ¿Tendría razón el duende barato de Don Diego?

Caminé entre el tumulto de gente, saliendo de oficinas y comercios. Ya la cubeta me molestaba, y era demasiado conspicua. Decidí entrar a un gran almacén que cerraba más tarde que los otros; esto explicaba la gran cantidad de gentes que pululaban entre las telas y las lociones y el olor de axilas rociadas de las escuálidas empleaditas. Pasé las puertas giratorias, todavía envuelto en las pulsaciones de la boca y la muerte de Don Diego, y grité:

—¿Dónde queda el departamento de señoras, el de ropa íntima?

Todos me miraron, algunos curiosos se acercaban a fin de observarme cuidadosamente. Nada descubrieron. Yo insultaba. Una señorita con cara de lechuza, pegada a los teléfonos, picando luces y hablando con la mitad de la boca, me indicó:

—Tercer piso, a la izquierda.

Nuestras miradas se cruzaron. Esta lechuza tenía una belleza de laberinto, difícil, con fulgores de hacha. Y sus manos exangües, orando ante el altar de números y discos y voces irreconocibles.

Cuando llegué al mostrador, una jovencita me atendió:

—Quiero un Peter Pan.

—¿Lo lleva puesto?

—No, la boca.

Saqué los labios pegajosos del fondo de la cubeta.

—¿Los labios, de moda?

—Envuélvalos en el brassière.

—Y el brassière, ¿lo envuelvo en papel?

La vendedora hizo un trabajo vaporoso y me dio la prenda de seda. Abajo, como lo había intuido, la telefonista estaba estrangulada con las cuerdas negras de sus aparatos torturantes. Afuera, la raza de bronce se incrustaba a las aceras rotas, al medallón pesado, viejo al segundo, de baratijas y marquesinas.

—La llave del 1519, por favor.

—Aquí tiene, mi rorro color de nube.

Su juego a la despreocupación capitalina no podía ocultar los ojos en cuclillas, esperando intensamente. No era, esta lasitud inmóvil de los mexicanos, un descanso: es la tensión negra de una espera sin fin, de una pasión vertical, que se hunde y arrastra sin encontrar el canal de la energía.

—Guárdate tus piropos, hija mía.

Subí por las escaleras a mi cuarto de hotel, el cuarto 1519. Hoy, sentía una capacidad genial para todo. ¿Qué iba a hacer? Al dar la vuelta al pasillo, vi correr por él a una figura juvenil. Iba saltando con gravedad protocolaria, vestida de rumbera pero con ciertas decoraciones extrañas: las piernas tatuadas, una argolla en la nariz, el pelo, lacio y negro, pesado de aceite, o sangre... Cascabeles en los pies y las orejas. Un hedor insoportable surgía de toda su carne, y a la vez, invitaba a comulgar con él. Sus dientes afilados asomaban y cantaban en murmullos de un eco viejísimo.

—Acabo de recoger las piezas rotas de aquel anciano que asesinaste. ¿Por qué me das más labores de las necesarias?

Palidecí

—No te asustes. Es mi deber recoger esos trozos sueltos de carroña y llevarlos, siempre, en mi bolsa de mano. Y estoy tan cansada, Oliverio. Y hay formas mejores de asesinar entre nosotros, ¡maldito Oliverio!, ¿por qué lo mataste de esta manera, para tu goce personal, sin tolerar el contacto de todos...?

—¿Cómo te llamas?

—Tlazol, supongo que para servir a usted...

Cortesía hipócrita, que nos mantiene en un balancín paralítico: "para servir a usted", "ésta es su casa", "estoy a su disposición"... Tomé su mano ardiente, y Tlazol se sonrojó, pero apretó, a su vez, la mía. La introduje en mi habitación, mientras la boca permanecía sospechosamente callada, en su envoltura voluptuosa de seda y goma. ¡Para servir a usted!

(Supongo que Tlazol dejó entreabierta la puerta de la recámara; apenas me di cuenta de ello unos minutos antes de las doce: ya un pie aparecía por la abertura, listo para saltar, seguido del séquito sin número de sus cofrades negros. Me eché contra la puerta, pero el pie no cedía; comencé a escuchar sus parlamentos, sin voz, suaves, adormilados, que se prolongaban en chusmas por la galería del hotel; hablaban entre risas y aullidos, de comunión, de salud, de rajarse, rajarse, rajarse, en tanto que los labios habían despertado del sueño discreto que les produjo la visita de Tlazol, y reían sin templanza. ¿Cómo defenderme? No entraban porque no querían. Y sus canciones, tan up-to-date (*la vida no vale nada, siempre se empieza llorando,*

llorando siempre se acaba...) cuando yo los sabía, a todos, ancianos, con un pulso de piedra y ceniza en las bocas. Les bastaría empujar, a todos juntos —sí, los adivinaba en millares, sedientos de algo que yo podría ofrecer, pero dispuestos a una paciencia lenta y risueña. ¡Algo debería detenerlos! Mis fuerzas huyeron, grité, grité, ¿puedo persuadiros si no me escucháis? Todas las cosas... las cosas están naturalmente hechas para cambiar, alterarse, morir, a fin de producir otras que las sucedan... ¿por qué siguen allí, iguales a sí mismos, siempre, con sus corazones de metal? no saben, no saben que el hombre, que *yo* soy más fuerte que la naturaleza, porque ella es más fuerte que yo y no lo sabe oh, *les rapports natureles qui dérivent de la nature des choses,* si pudiera estar de pie ante ti, Naturaleza, simple hombre, *aber of Sand and a Heaven in a Wild Flower Hold infinity in the palm of your hand,* sí, eso es ... *der Mensch will leben to see a World in a Grain,* no temas, no te entregaré a las aves de presa ... te defiendo, yo, toda la cadena de columnas de mármol y flores silvestres y tempestades vencidas y papiros sangrantes y triunfos del espíritu y máquinas vivas que sólo funcionan gracias a Koenisberg. Toda la concurrencia invisible reía, a grandes carcajadas, tocaba guitarras, debía revolcarse en el suelo de risa; sus murmullos decían que mi letanía ya había sido encerrada por ellos —y regresaba a su prisión siempre que escapaba— en la tumba honda que reservan a todo el que pisa su suelo, tarde o temprano; los labios, todavía en su envoltura, cayeron de la silla al suelo, en un chillido incontenible, y el pie negro se retiró y pude cerrar, ya exhausto, la puerta).

Tuve que salir inmediatamente, a respirar, a comprar una cajetilla. Saqué a la boca del paquete y la coloqué sobre mi solapa; como un azotador, allí se prendió a la lana. Por los pasillos del hotel, deambulaba Tlazol: no me quiso reconocer, y los labios aprovecharon mi distracción para saltar y apenas los vi, correteando por el tapete, meterse por la rendija de una puerta. ¡Horror, ingratitud! pensé. ¿Cómo seguirlos y vengarme...? Ya no era cuestión de tenerlos o admirarlos, sino de hacerles sentir el peso de mi voluntad... Abrí la puerta de una pieza oscura, busqué a tientas el contacto con las lámparas; no servían. A ciegas, hincado, de barriga, intenté encontrar por el tapete la forma de los labios pulposos. ¿Dónde estaban?

¡No podía perderlos! ¡Era demasiado en un día!

—Aquí estoy, Oliverio —chilló la boca, silbando, desde un rincón.

Tropezando en la oscuridad, de hinojos, pegando la cabeza contra los muebles, hurgué entre el polvo. Los labios cayeron sobre mi cabeza, me golpeaban, chupaban el aire en mi nariz. Ya de pie, tiré sillas, derrumbé lámparas, y grité:

—¡No los encuentro, nunca los encontraré!

¡Yo no quería decir esto, al contrario, pensaba: no tardaré en hallarlos, aquí están...!

Y mi boca volvía a hablar, espumosa: —¡No puedo irme; esa boca es mi vida!

¡Qué iba a serlo —un capricho nada más! Pero mi boca seguía hablando, retorciéndose, diciendo lo que no pensaba. Corrí a mi cuarto. Una banda de merolicos tocaba junto al carrusel del parque. Me detuve frente al espejo. Estaba triste, y lancé una carcajada. Mi aliento sabía a calcinación antiquísima. Mis labios se movieron.

—Eres mi prisionero, Oliverio. Tú piensas, pero yo hablo.

Es cierto —se decía Oliverio mientras bajaba, con premura, las escaleras— los labios eran gruesos, frescos, torcidos; son la boca de sangre, plasmada sobre la suya. Oliverio rasgaba la boca con sus uñas; los ojos, dos gotas de terror; pero la boca reía, reía, reía.

—¿No lo vas a creer, Oliverio? Tú, piensas; yo, hablo.

Debía olvidar. Oliverio debía olvidar. Debía volver tarde, hasta el amanecer, y matar en el sueño esta locura y despertar refrescado en la mañana.

Sus movimientos, ya no eran suyos. La boca lo llevó por las calles, lo condujo a donde quiso. A los cenáculos literarios, al Jockey Club, a una sesión política, al Club de Banqueros, en todas partes aullando, insultando, escupiendo odio y sangre en los tapetes mullidos de estos bellos salones. Allí estaba Oliverio, en el centro del salón, agitando sus brazos, con una expresión de horror y vergüenza que no correspondía a la invectiva de sus labios amoratados...

"¡Payasos! ¿Dónde creen que están? ¿Suponen que impunemente pueden sentirse pasteles de vainilla sobre esta montaña de tortillas agusanadas? No se atrevan a hablar todo el día de la lucidez, como si la inteligencia fuera contagiosa, en un país oscuro, dinamitado de nervios y confusión; huérfanos, apócrifos: ¿por qué discursean sobre el clima del espíritu, sobre la conciencia de lo humano? ¡Cuidado!, ya vienen los monstruos a comérselos, en la noche, a oscuras: poetas sin poesía, críticos sin crítica, bardos del anuncio en tres minutos. Palpen sus músculos debajo de esas pesadas sotanas de inmortalidad, lechosos, fláccidos, hombres de pasta, de espina dorsal prestada, ¡descastados de ambas orillas: el dios griego los rechaza, el azteca se los comerá, se los comerá!... Ustedes, hombres gordos, de nalgas sin simetría, ratas sobre la escalera sin fin, dispuestos a todo, militando contra nada, ¡sepan del fracaso!, de la redención en él, siéntanse el último de los excrementos torcidos que generan las culebras de esta tierra de monolito seco: respétenlo todo, o viólenlo todo: todo será yermo, se convertirá en gelatina para las costillas sin vida de México, armazón suntuoso de la carne muerta, oscura, pantanosa que va chupando palabras y quehaceres, ¡nuestro destino es el fracaso: fuimos hechos a su semejanza, laboramos sin tregua para consumarlo, en él está nuestra obra, meta y realización! Hombres de buena fe: no valen aquí la conciliación y la reverencia, salvo como una expresión más de lo que ha de fracasar, tuercas enanas en el monstruo de piedra labrada de un país inútil, impotente, bien mostrenco que sólo subsiste mientras las fuerzas del éxito ajeno quieran respetarlo... Disfraces de Galilea, disfraces de Keynes, disfraces de Comte, disfraces de Fath y de Marx; todos los trituraremos, todos quedarán desnudos, y no habrá más ropa que la piedra y escama verde, la de pluma sangrienta y ópalo de nervios..."

Y entonces corrí fuera de los aposentos, ciego a las reacciones de aquellos hombres tan respetables, tan limpios, que en México se cuentan con los dedos de la mano. La boca era todo el motor; yo la seguía, prendido a ella, ya sin movimiento, como un bulto de tripas y piel.

—¡Ya me hacía falta un sistema nervioso al cual pegarme! —reía mi boca.

Volvimos al hotel. La boca me detuvo frente al ascensor. Ya iba a quebrar el alba. No quería subir en el aparato, pero no tuve remedio. Penetramos en él, y la boca ordenó: "Pique el último botón". El elevadorista se mostró reacio: "Nunca ha bajado hasta allá este elevador, señor". La boca insistía, y por fin ella misma puso mi dedo sobre el botón: descendimos, sin ruido, envueltos en viento musical, la puerta se abrió y un líquido parduzco entró en la jaula:

este sótano, inundado, negro, olía a sudario, y pronto las luces y el ruido furioso le invadieron. Temblando, en un rincón de la jaula mecánica, grité espantado: por el largo subterráneo transitaban todos, con sus sonrisas petrificadas, en un sueño de momias sin sepultura: Tepoyollotl, enorme corazón de tierra, vomitando fuego, arrastrándose por los charcos con sus brazos de ventrículo de goma; Mayauel, borracha, la cara pintada y los dientes amarillos; Tezcatlipoca, un vidrio de humos congelados en la noche; Izpapalotl seguida de una corte de mariposas apuñaladas; el doble en una galería de azogue, sombra de todas las sombras, Xolotl; sus plumas ennegrecidas de carbón y de un serpear sin tiempo entre los hacinamientos, Quetzalcóatl. Por las paredes, enredado en sus babas, subía el caracol, Tecciztecatl. Con hálito de nieve, un camaleón blanco devoraba el lodo, y la cabeza de los muertos brillaba al fondo, prisionera del flujo de los desperdicios, chirriando el canto de las guacamayas. Sobre el trono de tierra, silente y grávida, convirtiéndose en polvo negro, la Vieja Princesa de este sótano, Ilamatecuhtli, su faz raída por un velo de dagas. Los cuerpos devorados se sabían confundidos en el sedimento pulposo del lago.

Un ejército de mariposas rojas había arrastrado al elevadorista desmayado hasta el centro del lago; ahora regresaban, a recogerme a mí. "¡Vamos, Oliverio, a la comunión, a redimirte!", gritaron mis labios, mientras mi cuerpo, en su último esfuerzo, apretaba todos los timbres del ascensor, hasta que la puerta se cerró y subimos, lejos de la jauría, de su incesante cantar de pájaros sin alas.

Iba a amanecer. Quise desvestirme cuando unas uñas rascaron la puerta. Era Tlazol, pidiendo que le abriera.

—No puedo más, Tlazol. Otro día, por favor... hoy ya no...

Su voz, queda, murmuró:

—Ni modo, yo creí que eras muy macho.

¡Éste era el último insulto! Me habían arrebatado la dignidad, la posición social, la cortesía, mi voluntad entera, ¡ahora, acabarían por matar mi sexo! Abrí la puerta de par en par: Tlazol en traje de ceremonias, cargada de joyas gruesas y serpientes, avanzó a abrazarme: mi boca reía dislocada. Tlazol cerró la puerta con llave, sus labios se acercaron a los míos, y a mordiscos arrancó su carne. En la mano de la Diosa brillaba un puñal opaco; lenta, lenta, lo acercó a mi corazón. La carne de los labios yacía, gimiendo espantosamente, en el suelo.

Los labios gritaban, casi en suspiro: —Huye, Oliverio, huye... No quise llegar hasta este punto... yo también creo... ¡Oh, por qué me arrancaste de la contemplación!...

Tlazol me abrazó en un espasmo sin suspiros. El puñal quedó allí, en mi centro, como un pivote loco, girando solo mientras ella abría la puerta a la caravana de ruidos minuciosos, de alas y culebras, que se amasaban en el pasillo, y las guitarras torcidas y las voces internas cantaban.

EL QUE INVENTÓ LA PÓLVORA

*

Uno de los pocos intelectuales que aún existían en los días anteriores a la catástrofe, expresó que quizá la culpa de todo la tenía Aldous Huxley. Aquel intelectual —titular de la misma cátedra de sociología, durante el año famoso en que a la humanidad entera se le otorgó un Doctorado Honoris Causa, y clausuraron sus puertas todas las Universidades—, recordaba todavía algún ensayo de *Music at Night*: los snobismos de nuestra época son el de la ignorancia y el de la última moda; y gracias a éste se mantienen el progreso, la industria y las actividades civilizadas. Huxley, recordaba mi amigo, incluía la sentencia de un ingeniero norteamericano: "Quien construya un rascacielos que dure más de cuarenta años, es traidor a la industria de la construcción". De haber tenido el tiempo necesario para reflexionar sobre la reflexión de mi amigo, acaso hubiera reído, llorado, ante su intento estéril de proseguir el complicado juego de causas y efectos, ideas que se hacen acción, acción que nutre ideas. Pero en esos días, el tiempo, las ideas, la acción, estaban a punto de morir.

La situación, intrínsecamente, no era nueva. Sólo que, hasta entonces, habíamos sido nosotros, los hombres, quienes la provocábamos. Era esto lo que la justificaba, la dotaba de humor y la hacía inteligible. Eramos nosotros los que cambiábamos el automóvil viejo por el de este año. Nosotros, quienes arrojábamos las cosas inservibles a la basura. Nosotros, quienes optábamos entre las distintas marcas de un producto. A veces, las circunstancias eran cómicas; recuerdo que una joven amiga mía cambió un deodorante por otro sólo porque los anuncios le aseguraban que la nueva mercancía era algo así como el certificado de amor a primera vista. Otras, eran tristes; uno llega a encariñarse con una pipa, los zapatos cómodos, los discos que acaban teñidos de nostalgia, y tener que desecharlos, ofrendarlos al anonimato del ropavejero y la basura, era ocasión de cierta melancolía.

Nunca hubo tiempo de averiguar a qué plan diabólico obedeció, o si todo fue la irrupción acelerada de un fenómeno natural que creíamos domeñado. Tampoco, dónde se inició la rebelión, el castigo, el destino —no sabemos cómo designarlo. El hecho es que un día, la cuchara con que yo desayunaba, de legítima plata Christoph, se derritió en mis manos. No di mayor importancia al asunto, y suplí el utensilio inservible con otro semejante, del mismo diseño, para no dejar incompleto mi servicio y poder recibir con cierta elegancia a doce personas. La nueva cuchara duró una semana; con ella, se derritió el cuchillo. Los nuevos repuestos no sobrevivieron las setenta y dos horas sin convertirse en gelatina. Y claro, tuve que abrir los cajones y cerciorarme: toda la cuchillería descansaba en el fondo de las gavetas, excreción gris y espesa. Durante algún tiempo, pensé que estas ocurrencias ostentaban un carácter singular. Buen cuidado tomaron los felices propietarios de objetos tan valiosos en no comunicar algo que, después tuvo que saberse, era ya un hecho universal. Cuando comenzaron a derretirse las cucharas, cuchillos, tenedores, amarillentos, de aluminio y hojalata, que usan los hospitales, los pobres, las fondas, los cuarteles, no fue posible ocultar la desgracia que nos afligía. Se levantó un clamor: las industrias respondieron que estaban en posibilidad de cumplir con la demanda, mediante un gigantesco esfuerzo, hasta el grado de poder remplazar los útiles de mesa de cien millones de hogares, cada veinticuatro horas.

El cálculo resultó exacto. Todos los días, mi cucharita de té —a ella me reduje, al artícuo más barato, para todos los usos culinarios— se convertía, después del desayuno, en polvo. Con premura, salíamos todos a formar cola para adquirir una nueva. Que yo sepa, muy pocas gentes compraron al mayoreo; sospechábamos que cien cucharas adquiridas hoy serían pasta mañana, o quizá nuestra esperanza de que sobrevivieran veinticuatro horas era tan grande como infundada. Las gracias sociales sufrieron un deterioro total; nadie podía invitar a sus amistades, y tuvo corta vida el movimiento, malentendido y nostálgico, en pro de un regreso a las costumbres de los vikingos.

Esta situación, hasta cierto punto amable, duró apenas seis meses. Alguna mañana, terminaba mi cotidiano aseo dental. Sentí que el cepillo, todavía en la boca, se convertía en culebrita de plástico; lo escupí en pequeños trozos. Este género de calamidades comenzó a repetirse casi sin interrupciones. Recuerdo que ese mismo día, cuando entré a la oficina de mi jefe en el Banco, el escritorio se desintegró en terrones de acero, mientras los puros del financiero tosían y se deshebraban, y los cheques mismos daban extrañas muestras de inquietud... Regresando a la casa, mis zapatos se abrieron como flor de cuero, y tuve que continuar descalzo. Llegué casi desnudo: la ropa se había caído a jirones, los colores de la corbata se separaron y emprendieron un vuelo de mariposas. Entonces me di cuenta de otra cosa: los automóviles que transitaban por las calles se detuvieron de manera abrupta, y mientras los conductores descendían, sus sacos, haciéndose polvo en las espaldas, emanando un olor colectivo de tintorería y axilas, los vehículos, envueltos en gases rojos, temblaban. Al reponerme de la impresión, fijé los ojos en aquellas carrocerías. La calle hervía en una confusión de caricaturas: Fords Modelo T, carcachas de 1909, Tin Lizzies, orugas cuadriculadas, vehículos pasados de moda.

La invasión de esa tarde a las tiendas de ropa y muebles, a las agencias de automóvil, resulta indescriptible. Los vendedores de coches —esto podría haber despertado sospechas— ya tenían preparado el Modelo del Futuro, que en unas cuantas horas fue vendido por millares. (Al día siguiente, todas las agencias anunciaron la aparición del Novísimo Modelo del Futuro, la ciudad se llenó de anuncios *démodé* del Modelo del día anterior —que, ciertamente, ya dejaba escapar un tufillo apolillado—, y una nueva avalancha de compradores cayó sobre las agencias.)

Aquí debo insertar una advertencia. La serie de acontecimientos a que me vengo refiriendo, y cuyos efectos finales nunca fueron apreciados debidamente, lejos de provocar asombro o disgusto, fueron aceptados con alborozo, a veces con delirio, por la población de nuestros países. Las fábricas trabajaban a todo vapor y terminó el problema de los desocupados. Magnavoces instalados en todas las esquinas, aclaraban el sentido de esta nueva revolución industrial: los beneficios de la libre empresa llegaban hoy, como nunca, a un mercado cada vez más amplio; sometida a este reto del progreso, la iniciativa privada respondía a las exigencias diarias del individuo en escala sin paralelo; la diversificación de un mercado caracterizado por la renovación continua de los artículos de consumo aseguraba una vida rica, higiénica y libre. "Carlomagno murió con sus viejos calcetines puestos —declaraba un cartel— usted morirá con unos Elasto-Plastex recién salidos de la fábrica." La bonanza era increíble; todos trabajaban en las industrias, percibían enormes sueldos, y los gastaban en cambiar diariamente las cosas inservibles por los nuevos productos. Se calcula que, en mi comunidad solamente, llegaron a circular, en valores y en efectivo, más de descientos mil millones de dólares cada dieciocho horas.

El abandono de las labores agrícolas se vio suplido, y armonizado, por las industrias química, mobiliaria y eléctrica. Ahora comíamos píldoras de vitamina, cápsulas y granulados, con la severa advertencia médica de que era necesario prepararlos en la estufa y comerlos con cubiertos (las píldoras, envueltas por una cera eléctrica, escapan al contacto con los dedos del comensal).

Yo, justo es confesarlo, me adapté a la situación con toda tranquilidad. El primer sentimiento de terror lo experimenté una noche, al entrar a mi biblioteca. Regadas por el piso, como larvas de tinta, yacían las letras de todos los libros. Apresuradamente, revisé varios tomos: sus páginas, en blanco. Una música dolorosa, lenta, despedida, me envolvió; quise distinguir las voces de las letras; al minuto agonizaron. Eran cenizas. Salí a la calle, ansioso de saber qué nuevos sucesos anunciaba éste; por el aire, con el loco empeño de los vampiros, corrían nubes de letras; a veces, en chispazos eléctricos, se reunían... *amor, rosa, palabra,* brillaban un instante en el cielo, para disolverse en llanto. A la luz de uno de estos fulgores, vi otra cosa: nuestros grandes edificios empezaban a resquebrajarse; en uno, distinguí la carrera de una vena rajada que se iba abriendo por el cuerpo de cemento. Lo mismo ocurría en las aceras, en los árboles, acaso en el aire. La mañana nos deparó una piel brillante de heridas. Buen sector de obreros tuvo que abandonar las fábricas para atender a la reparación material de la ciudad; de nada sirvió, pues cada remiendo hacía brotar nuevas cuarteaduras.

Aquí concluía el periodo que pareció haberse regido por el signo de las veinticuatro horas. A partir de este instante, nuestros utensilios comenzaron a descomponerse en menos tiempo; a veces en diez, a veces en tres o cuatro horas. Las calles se llenaron de montañas de zapatos y papeles, de bosques de platos rotos, dentaduras postizas, abrigos desbaratados, de cáscaras de libros, edificios y pieles, de muebles y flores muertas y chicle y aparatos de televisión y baterías. Algunos intentaron dominar a las cosas, maltratarlas, obligarlas a continuar prestando sus servicios; pronto se supo de varias muertes extrañas de hombres y mujeres atravesados por cucharas y escobas, sofocados por sus almohadas, ahorcados por las corbatas. Todo lo que no era arrojado a la basura después de cumplir el término estricto de sus funciones, se vengaba así del consumidor reticente.

La acumulación de basura en las calles las hacía intransitables. Con la huida del alfabeto, ya no se podían escribir directrices; los magnavoces dejaban de funcionar cada cinco minutos, y todo el día se iba en suplirlos con otros. ¿Necesito señalar que los basureros se convirtieron en la capa social privilegiada, y que la Hermandad Secreta de Verrere era, *de facto,* el poder activo detrás de nuestras instituciones republicanas? De viva voz se corrió la consigna: los intereses sociales exigen que para salvar la situación se utilicen y consuman las cosas con una rapidez cada día mayor. Los obreros ya no salían de las fábricas; en ellas se concentró la vida de la ciudad, abandonándose a su suerte edificios, plazas, las habitaciones mismas. En las fábricas, tengo entendido que un trabajador armaba una bicicleta, corría por el patio montado en ella, la bicicleta se reblandecía y era tirada al carro de la basura que, cada día más alto, corría como arteria paralítica por la ciudad; inmediatamente, el mismo obrero regresaba a armar otra bicicleta, y el proceso se repetía sin solución. Lo mismo pasaba con los demás productos; una camisa era usada inmediatamente por el obrero que la fabricaba, y arrojada al minuto; las bebidas alcohólicas tenían que ser ingeridas por quienes las embotellaban, y las medicinas de alivio respectivas por sus fabricantes, que nunca tenían oportunidad de emborracharse. Así sucedía en todas las actividades.

Mi trabajo en el Banco ya no tenía sentido. El dinero había dejado de circular desde que productores y consumidores, encerrados en las factorías, hacían de los dos actos uno. Se me asignó una fábrica de armamentos como nuevo sitio de labores. Yo sabía que las armas eran llevadas a parajes desiertos, y usadas allí; un puente aéreo se encargaba de transportar las bombas con rapidez, antes de que estallaran, y depositarlas, huevecillos negros, entre las arenas de estos lugares misteriosos.

Ahora que ha pasado un año desde que mi primera cuchara se derritió, subo a las ramas de un árbol y trato de distinguir, entre el humo y las sirenas, algo de las costras del mundo. El ruido, que se ha hecho sustancia, gime sobre los valles de desperdicio; temo —por lo que mis últimas experiencias con los pocos objetos servibles que encuentro delatan— que el espacio de utilidad de las cosas se ha reducido a fracciones de segundo. Los aviones estallan en el aire, cargados de bombas; pero un mensajero permanente vuela en helicóptero sobre la ciudad, comunicando la vieja consigna: "Usen, usen, consuman, consuman, ¡todo, todo!" ¿Qué queda por usarse? Pocas cosas, sin duda.

Aquí, desde hace un mes, vivo escondido, entre las ruinas de mi antigua casa. Hui del arsenal cuando me di cuenta que todos, obreros y patrones, han perdido la memoria, y también, la facultad previsora... Viven al día, emparedados por los segundos. Y yo, de pronto, sentí la urgencia de regresar a esta casa, tratar de recordar algo —apenas estas notas que apunto con urgencia, y que tan poco dicen de un año relleno de datos— y formular algún proyecto.

¡Qué gusto! En mi sótano encontré un libro con letras impresas; es *Treasure Island*, y gracias a él, he recuperado el recuerdo de mí mismo, el ritmo de muchas cosas... Termino el libro ("Pieces of eight! Pieces of eight!") y miro en redor mío. La espina dorsal de los objetos despreciados, su velo de peste. ¿Los novios, los niños, los que sabían cantar, dónde están, por qué los olvidé, los olvidamos, durante todo este tiempo? ¿Qué fue de ellos mientras sólo pensábamos (y yo sólo he escrito) en el deterioro y creación de nuestros útiles? Extendí la vista sobre los montones de inmundicia. La opacidad chiclosa se entrevera en mil rasguños; las llantas y los trapos, la obesidad maloliente, la carne inflamada del detritus, se extienden enterrados por los cauces de asfalto; y pude ver algunas cicatrices, que eran cuerpos abrazados, manos de cuerda, bocas abiertas, y supe de ellos.

No puedo dar idea de los monumentos alegóricos que sobre los desperdicios se han construido, en honor de los economistas del pasado. El dedicado a las Armonías de Bastiat, es especialmente grotesco.

Entre las páginas de Stevenson, un paquete de semillas de hortaliza. Las he estado metiendo en la tierra, ¡con qué gran cariño!... Ahí pasa otra vez el mensajero:

"USEN TODO... TODO... TODO"

Ahora, ahora un hongo azul con penachos de sombra me ahoga en el rumor de los cristales rotos...

Estoy sentado en una playa que antes —si recuerdo algo de geografía— no bañaba mar alguno. No hay más muebles en el universo que dos estrellas, las olas y arena. He tomado unas ramas secas; las froto. durante mucho tiempo... ah, la primera chispa...

Los días enmascarados
se terminó de imprimir el 12 de junio de 2014
en Programas Educativos, S.A. de C.V.
Calz. Chabacano 65-A, 06850 México, D.F.

CARLOS FUENTES
en Ediciones Era

Aura

Los días enmascarados

Una familia lejana